P9-DYZ-253

Universale Economica Feltrinelli

ALESSANDRO BARICCO
NOVECENTO
Un monologo

Feltrinelli

Prima edizione nell'"Universale Economica" ottobre 1994
Quarantaseiesima edizione marzo 2005

ISBN 88-07-81302-5

Ho scritto questo testo per un attore, Eugenio Allegri, e un regista, Gabriele Vacis. Loro ne hanno fatto uno spettacolo che ha debuttato al festival di Asti nel luglio di quest'anno. Non so se questo sia sufficiente per dire che ho scritto un testo teatrale: ma ne dubito. Adesso che lo vedo in forma di libro, mi sembra piuttosto un testo che sta in bilico tra una vera messa in scena e un racconto da leggere ad alta voce. Non credo che ci sia un nome, per testi del genere. Comunque, poco importa. A me sembra una bella storia, che valeva la pena di raccontare. E mi piace pensare che qualcuno la leggerà.

A.B.

Settembre 1994

Per Barbara

Succedeva sempre che a un certo punto uno alzava la testa... e la vedeva. È una cosa difficile da capire. Voglio dire... Ci stavamo in più di mille, su quella nave, tra ricconi in viaggio, e emigranti, e gente strana, e noi... Eppure c'era sempre uno, uno solo, uno che per primo... la vedeva. Magari era lì che stava mangiando, o passeggiando, semplicemente, sul ponte... magari era lì che si stava aggiustando i pantaloni... alzava la testa un attimo, buttava un occhio verso il mare... e la vedeva. Allora si inchiodava, lì dov'era, gli partiva il cuore a mille, e, sempre, tutte le maledette volte, giuro, sempre, si girava verso di noi, verso la nave, verso tutti, e gridava (*piano e lentamente*): l'America. Poi rimaneva lì, immobile come se avesse dovuto entrare in una fotografia, con la faccia di uno che l'aveva fatta lui, l'America. La sera, dopo il lavoro, e le domeniche, si era fatto aiutare dal cognato, muratore, brava persona... prima aveva in mente qualcosa in compensato, poi... gli ha preso un po' la mano, ha fatto l'America...

Quello che per primo vede l'America. Su ogni nave ce n'è uno. E non bisogna pensare che siano cose che succedono per caso, no... e nemmeno per una questione di diottrie, è il destino, quello. Quella è gente che da sempre c'aveva già quell'istante stampato nella vita. E quando erano bambini, tu potevi guardarli negli occhi, e se guardavi bene, già la vedevi, l'America, già lì pronta a scattare, a scivolare giù per nervi e sangue e che ne so io, fino al cervello e da lì alla lingua, fin dentro quel grido (*gridando*), AMERICA, c'era già, in quegli occhi, di bambino, tutta, l'America.

Lì, ad aspettare.

Questo me l'ha insegnato Danny Boodmann T.D. Lemon Novecento, il più grande pianista che abbia mai suonato sull'Oceano. Negli occhi della gente si vede quello che vedranno, non quello che hanno visto. Così, diceva: quello che vedranno.

Io ne ho viste, di Americhe... Sei anni su quella nave, cinque, sei viaggi ogni anno, dall'Europa all'America e ritorno, sempre a mollo nell'Oceano, quando scendevi a terra non riuscivi neanche a pisciare dritto nel cesso. Lui era fermo, lui, ma tu, tu continuavi a dondolare. Perché da una nave si può anche scendere: ma dall'Oceano... Quando c'ero salito, avevo diciassette anni. E di una sola cosa mi fregava, nella vita: suonare la tromba. Così quando venne fuori quella storia che cercavano gente per il piroscafo, il *Virginian*, giù al porto, io mi misi in coda. Io e la tromba. Gennaio 1927. Li abbiamo già i suonatori, disse il tizio della Compagnia. Lo so, e mi misi a suonare. Lui se ne stette lì a fissarmi senza muovere un muscolo. Aspettò che finissi, senza dire una parola. Poi mi chiese:

"Cos'era?".

"Non lo so."

Gli si illuminarono gli occhi.

"Quando non sai cos'è, allora è jazz."

Poi fece una cosa strana con la bocca, forse era un sorriso, aveva un dente d'oro proprio qui, così in centro che sembrava l'avesse messo in vetrina per venderlo.

"Ci vanno matti, per quella musica, lassù."

Lassù voleva dire sulla nave. E quella specie di sorriso voleva dire che mi avevano preso.

Suonavamo tre, quattro volte al giorno. Prima per i ricchi della classe lusso, e poi per quelli della seconda, e ogni tanto si andava da quei poveracci degli emigranti e si suonava per loro, ma senza la divisa, così come veniva, e ogni tanto suonavano anche loro, con noi. Suonavamo perché l'Oceano è grande, e fa paura, suonavamo perché la gente non sentisse passare il tempo, e si dimenticasse dov'era, e chi era. Suonavamo per farli ballare, perché se balli non puoi morire, e ti senti Dio. E suonavamo il ragtime, perché è la musica su cui Dio balla, quando nessuno lo vede.

Su cui Dio ballava, se solo era negro.

(L'attore esce dalla scena. Parte una musica dixie, molto allegra e sostanzialmente idiota. L'attore rientra in scena vestito elegantemente da jazz man da piroscafo. Da qui in poi si comporta come se la band fosse, fisicamente, in scena)

Ladies and Gentlemen, meine Damen und Herren, Signore e Signori... Mesdames e Messieurs, benvenuti su questa nave, su questa città galleggiante che assomiglia in tutto e per tutto al *Titanic*, calma, state seduti, il signore laggiù si è toccato, l'ho visto benissimo, benvenuti sull'Oceano, a proposito che ci fate qui?, una scommessa, avevate i creditori alle calcagna, siete in ritardo di una trentina d'anni sulla corsa all'oro, volevate vedere la nave e poi non vi siete accorti che era partita, siete usciti un attimo a comprare le sigarette, in questo momento vostra moglie è alla polizia che dice era un uomo buono, normalissimo, in trent'anni mai un litigio... Insomma, che diavolo ci fate qua, a trecento miglia da qualsiasi fottutissimo mondo e a due minuti dal prossimo conato di vomito? Pardon madame, scherzavo, si fidi, se ne va questa nave come una biglia sul biliardo dell'Oceano, tac, ancora sei giorni, due ore e quarantasette minuti e plop, in buca, New Yoooooork!

(Band in primo piano)

Non credo che ci sia bisogno di spiegarvi come questa nave sia, in molti sensi, una nave straordinaria e in definitiva unica. Al comando del capitano Smith, noto claustrofobo e uomo di grande saggezza (avrete certo notato che vive in una scialuppa di salvataggio), lavora per voi uno staff praticamente unico di professionisti assolutamente fuori dall'ordinario: Paul Siezinskj, timoniere, ex sacerdote polacco, sensitivo, pranoterapeuta, purtroppo cieco... Bill Joung, marconista, grande giocatore di scacchi, mancino, balbuziente... il medico di bordo, dott. Klausermanspitzwegensdorfentag, aveste urgenza di chiamarlo siete fregati..., ma soprattutto:

Monsieur Pardin,

lo chef,

direttamente proveniente da Parigi dove peraltro è subito tornato dopo aver verificato di persona la curiosa circostanza che vede questa nave priva di cucine, come ha argutamente notato, tra gli altri, Monsieur Camembert, cabina 12, che oggi si è lamentato per aver trovato il lavabo pieno di maionese, cosa strana, perché di solito nei lavabi teniamo gli affettati, questo per via dell'inesistenza delle cucine, cosa a cui va attribuita tra l'altro l'assenza su questa nave di un vero cuoco, quale certamente era

Monsieur Pardin, subito tornato a Parigi da cui proveniva direttamente, nell'illusione di trovare qui sopra delle cucine che invece, a rimanere fedeli ai fatti, non ci sono e questo grazie alla spiritosa dimenticanza del progettista di questa nave, l'insigne ingegner Camilleri, anoressico di fama mondiale, a cui prego di indirizzare il vostro più caloroso applausooooooo...

(Band in primo piano)

Credetemi, non ne troverete altre di navi così: forse, se cercherete per anni ritroverete un capitano claustrofobico, un timoniere cieco, un marconista balbuziente, un dottore dal nome impronunciabile, tutti sulla stessa nave, senza cucine. Può darsi. Ma quel che non vi succederà più, potete giurarci, è di stare lì seduti col culo su dieci centimetri di poltrona e centinaia di metri d'acqua, nel cuore dell'Oceano, con davanti agli occhi il miracolo, e nelle orecchie la meraviglia, e nei piedi il ritmo e nel cuore il sound dell'unica, inimitabile, infinita, ATLANTIC JAZZ BAAAAND!!!!!

(Band in primo piano. L'attore presenta gli strumentisti a uno a uno. A ogni nome segue un breve assolo)

Al clarinetto, Sam "Sleepy" Washington!
Al banjo, Oscar Delaguerra!

Alla tromba, Tim Tooney!
Trombone, Jim Jim "Breath" Gallup!
Alla chitarra, Samuel Hockins!
E infine, al piano... Danny Boodmann T.D. Lemon Novecento.
Il più grande.

(La musica si interrompe bruscamente. L'attore abbandona il tono da presentatore, e, parlando, si toglie la divisa da musicista)

Lo era davvero, il più grande. Noi suonavamo musica, lui era qualcosa di diverso. Lui suonava... Non esisteva quella roba, prima che la suonasse lui, okay?, non c'era da nessuna parte. E quando lui si alzava dal piano, non c'era più... e non c'era più per sempre... Danny Boodmann T.D. Lemon Novecento. L'ultima volta che l'ho visto era seduto su una bomba. Sul serio. Stava seduto su una carica di dinamite grande così. Una lunga storia... Lui diceva: "Non sei fregato veramente finché hai da parte una buona storia, e qualcuno a cui raccontarla". Lui l'aveva una... buona storia. Lui *era* la sua buona storia. Pazzesca, a ben pensarci, ma bella... E quel giorno, seduto su tutta quella dinamite, me l'ha regalata. Perché ero il suo più grande amico, io... E poi ne ho fatte di fesserie, e se mi mettono a testa in giù non esce più niente dalle mie tasche, anche la tromba mi son venduto, tutto, ma... quella storia, no... quella non l'ho persa, sta ancora qui, limpida e inspiegabile come solo era la musica quando, in mezzo all'Oceano, la suonava il pianoforte magico di Danny Boodmann T.D. Lemon Novecento.

(L'attore si avvia dietro le quinte. In audio riparte la band, per il finale. Quando si spegne l'ultimo accordo, l'attore rientra in scena)

A trovarlo era stato un marinaio che si chiamava Danny Boodmann. Lo trovò un mattino che erano già tutti scesi, a Boston, lo trovò in una scatola di cartone. Avrà avuto dieci giorni, non di più. Neanche piangeva, se ne stava silenzioso, con gli occhi aperti, in quello scatolone. L'avevano lasciato nella sala da ballo della prima classe. Sul pianoforte. Non aveva l'aria però di essere un neonato di prima classe. Quelle cose le facevano gli emigranti, di solito. Partorire di nascosto, da qualche parte del ponte, e poi lasciare lì i bambini. Mica per cattiveria. Era miseria, quella, miseria nera. Un po' come la storia dei vestiti... salivano che avevano le pezze al culo, ognuno col suo vestito consumato dappertutto, l'unico che c'avevano. Poi però, dato che l'America era sempre l'America, li vedevi scendere, alla fine, tutti ben vestiti, con la cravatta anche, gli uomini, e i bambini con certe camiciole bianche... insomma, ci sapevano fare, in quei venti giorni di viaggio cucivano e tagliavano, alla fine non trovavi più una tenda, sulla nave, più un lenzuolo, niente: si erano fatti il vestito buono per l'America. A tutta la famiglia. Potevi mica dirgli niente...

Insomma, ogni tanto ci scappava anche il bambino, che per un emigrante è una bocca in più da sfamare e un sacco di grane all'ufficio immigrazione. Li lasciavano sulla nave. In cambio delle tende e delle lenzuola, in certo senso. Con quel bambino doveva essere andata così. Dovevano essersi fatti un ragionamento: se lo lasciamo sul pianoforte a coda, nella sala da ballo di prima classe, magari lo prende qualche riccone, e sarà felice tutta la vita. Era un buon piano. Funzionò a metà. Non diventò ricco, ma pianista sì. Il migliore, giuro, il migliore.

Comunque. Il vecchio Boodmann lo trovò là, cercò qualcosa che dicesse chi era, ma trovò solo una scritta, sul cartone della scatola, stampata con inchiostro blu: T.D. Limoni. C'era anche una specie di disegno, di un limone. Blu anche lui. Danny era un negro di Philadelphia, un gigante d'uomo che era una meraviglia. Pigliò il bambino in braccio e gli disse "Hello Lemon!". E gli scattò qualcosa dentro, qualcosa come la sensazione che era diventato padre. Per tutta la vita continuò a sostenere che quel T.D. significava evidentemente Thanks Danny. Grazie Danny. Era assurdo, ma lui ci credeva davvero. L'avevano lasciato lì per lui, quel bambino. Ne era convinto... T.D., Thanks Danny. Un giorno gli portarono un giornale su cui c'era la réclame di un uomo con un faccione idiota e dei baffi fini fini, da latin lover, e c'era disegnato un limone grande così e vicino la scritta diceva: Tano Damato il re dei limoni, Tano Damato, limoni da re, e non so quale attestato o premio o cosa... Tano Damato... Il vecchio Boodmann non fece una piega. "Chi è questo frocio?" chiese. E si fece dare il giornale perché di fianco alla réclame c'erano i risultati delle corse. Non che ci giocasse, alle corse: gli piacevano i nomi dei cavalli, tutto lì, aveva una vera passione, ti diceva sempre "senti questo, questo qui, ha corso ieri, a Cleveland, senti qua, l'hanno chiamato *Cerchi grane*, capisci? ma è possibile? e questo? guarda, *Meglio prima*, non c'è da morire?" insomma gli piacevano, i nomi dei cavalli, c'aveva quella passione. Di chi vinceva non gliene importava un cazzo. Erano i nomi, che gli piacevano.

A quel bambino incominciò a dare il suo, di nome: Danny Boodmann. L'unica vanità che si concesse in tutta la vita. Poi ci aggiunse T.D. Lemon, proprio uguale alla scritta che c'era sulla scatola di cartone, perché diceva che faceva fine avere delle lettere in mezzo al nome: "tutti gli avvocati ce l'hanno," confermò Burty Bum, un macchinista che era finito in galera grazie a un avvocato che si chiamava John P.T.K. Wonder. "Se fa l'avvocato lo ammazzo," sentenziò il vecchio Boodmann, però poi le due iniziali ce le lasciò, nel nome, e così venne fuori Danny Boodmann T.D. Lemon. Era un bel nome. Lo studiarono un po', ripetendolo a bassa voce, il vecchio Danny e gli altri, giù in sala macchine, con le macchine spente, a mollo nel porto di Boston. “Un bel nome,” disse alla fine il vecchio Boodmann, “però gli manca qualcosa. Gli manca un gran finale.” Era vero. Gli mancava un gran finale. “Aggiungiamo martedì,” disse Sam Stull, che faceva il cameriere. “L’hai trovato martedì, chiamalo martedì.” Danny ci pensò un po’. Poi sorrise. “È un’idea buona, Sam. L’ho trovato nel primo anno di questo nuovo, fottutissimo secolo, no?: lo chiamerò Novecento.” “Novecento?” “Novecento.” “Ma è un numero!” “*Era* un numero: adesso è un nome.” Danny Boodmann T.D. Lemon Novecento. È perfetto. È bellissimo. Un gran nome, cristo, davvero un gran nome. Andrà lontano, con un nome così. Si chinarono sulla scatola di cartone. Danny Boodmann T.D. Lemon Novecento li guardò e sorrise: loro rimasero di stucco: nessuno si aspettava che un bambino così piccolo potesse fare tutta quella merda.

Danny Boodmann fece ancora il marinaio per otto anni, due mesi e undici giorni. Poi, durante una burrasca, in pieno Oceano, si prese una carrucola impazzita in mezzo alla schiena. Ci mise tre giorni a morire. Era rotto dentro, non c’era verso di rimetterlo insieme. Novecento era un bambino, allora. Si sedette vicino al letto di Danny e da lì non si mosse più. Aveva una pila di giornali vecchi, e per tre giorni, facendo una fatica bestiale, lesse al vecchio Danny, che stava tirando le cuoia, tutti i risultati delle corse che trovò. Metteva insieme le lettere, come Danny gli aveva insegnato, col dito premuto sulla carta del giornale e gli occhi che non mollavano un istante. Leggeva lentamente, ma leggeva. Così il vecchio Danny morì sulla sesta corsa di Chicago, vinta da *Acqua potabile* con due lunghezze su *Minestrone* e cinque su *Fondotinta blu*. Il fatto è che non riuscì a non ridere, a quei nomi, e ridendo, schiattò. Lo avvolsero in un telone e lo restituirono all'Oceano. Sul telone, con una vernice rossa, il capitano scrisse: Thanks Danny.

Così, d'improvviso, Novecento divenne orfano per la seconda volta. Aveva otto anni e si era già fatto avanti e indietro dall'Europa all'America una cinquantina di volte. L'Oceano era casa sua. E quanto alla terra, be', non ci aveva mai messo piede. L'aveva vista, dai porti, certo. Ma sceso, mai. Il fatto è che Danny aveva paura che glielo portassero via, con qualche storia di documenti e visti e cose del genere. Così Novecento rimaneva a bordo, sempre, e poi a un certo punto si ripartiva. A voler essere precisi, Novecento non esisteva nemmeno, per il mondo: non c'era città, parrocchia, ospedale, galera, squadra di baseball che avesse scritto da qualche parte il suo nome. Non aveva patria, non aveva data di nascita, non aveva famiglia. Aveva otto anni: ma ufficialmente non era mai nato.

"Non potrà continuare a lungo questa storia," dicevano ogni tanto a Danny. "Oltre tutto è anche contro la legge." Ma Danny aveva una risposta che non faceva una piega: "In culo la legge" diceva. Non è che si potesse discutere un granché, con quella partenza.

Quando arrivarono a Southampton, alla fine del viaggio in cui Danny morì, il capitano decise che era ora di farla finita con quella recita. Chiamò le autorità portuali e disse al suo vice che gli andasse a prendere Novecento. Be', non lo trovò mai. Lo cercarono per tutta la nave, per due giorni. Niente. Era sparito. Non andava giù a nessuno, quella storia, perché insomma, lì sul *Virginian*, si erano abituati a quel ragazzino, e nessuno osava dirlo ma... ci vuol poco a buttarsi giù dalla murata e... poi il mare fa quel che vuole, e... Così c'avevano la morte nel cuore quando ventidue giorni dopo ripartirono per Rio de Janeiro, senza che Novecento fosse tornato, o che si fosse saputo qualcosa di lui... Stelle filanti e sirene e fuochi d'artificio, alla partenza, come tutte le volte, ma era diverso, quella volta, stavano per perdere Novecento, ed era per sempre, qualcosa gli rosicchiava il sorriso, a tutti, e gli mordeva dentro.

La seconda notte di viaggio, che non si vedevano nemmeno più le luci della costa irlandese, Barry, il nostromo, entrò come un pazzo nella cabina del comandante, svegliandolo e dicendogli che doveva assolutamente venire a vedere. Il comandante bestemmiò, ma poi andò.

Salone da ballo della prima classe.

Luci spente.

Gente in pigiama, in piedi, all'ingresso. Passeggeri usciti dalla cabina.

E poi marinai, e tre tutti neri saliti dalla sala macchine, e anche Truman, il marconista.

Tutti in silenzio, a guardare.

Novecento.

Stava seduto sul seggiolino del pianoforte, con le gambe che penzolavano giù, non toccavano nemmeno per terra.

E,

com'è vero Iddio,

stava suonando.

(Parte in audio una musica per pianoforte, abbastanza semplice, lenta, seducente)

Suonava non so che diavolo di musica, ma piccola e... bella. Non c'era trucco, era proprio lui, a suonare, le sue mani, su quei tasti, dio sa come. E bisognava sentire cosa gli veniva fuori. C'era una signora, in vestaglia, rosa, e certe pinzette nei capelli... una piena di soldi, per capirsi, la moglie americana di un assicuratore... be', aveva dei lacrimoni così che le scendevano sulla crema da notte, guardava e piangeva, non la smetteva più. Quando si trovò il comandante di fianco, bollito dalla sorpresa, lui, letteralmente bollito, quando se lo trovò di fianco, tirò su col naso, la riccona dico, tirò su col naso e indicando il pianoforte gli chiese:

"Come si chiama?".

"Novecento."

"Non la canzone, il bambino."

"Novecento."

"Come la canzone?"

Era quel genere di conversazione che un comandante di marina non può sostenere più di quattro cinque battute. Soprattutto quando ha appena scoperto che un bambino che credeva morto non solo era vivo ma, nel frattempo, aveva anche imparato a suonare il pianoforte. Piantò la riccona lì dov'era, con le sue lacrime e tutto il resto, e attraversò a passi decisi il salone: pantaloni del pigiama e giacca della divisa non abbottonata. Si fermò solo quando arrivò al pianoforte. Avrebbe voluto dire molte cose, in quel momento, e tra le altre "Dove cazzo hai imparato?", o anche "Dove diavolo ti eri nascosto?". Però, come tanti uomini abituati a vivere in divisa, aveva finito per pensare, anche, in divisa. Così quel che disse fu:

"Novecento, tutto questo è assolutamente contrario al regolamento".

Novecento smise di suonare. Era un ragazzino di poche parole e di grande capacità di apprendimento. Guardò con dolcezza il comandante e disse:

"In culo il regolamento".

(In audio rumore di burrasca)

Il mare si è svegliato / il mare ha deragliato / scoppia l'acqua contro il cielo / scoppia / sciacqua / stacca al vento nubi e stelle / furibondo / si scatena

fino a quando / non si sa / dura un giorno / finirà / mamma questo / non l'avevi detto mamma / ninna nanna / ti culla il mare / ti culla un corno / furibondo / tutt'intorno / schiuma e strazio / pazzo il mare / fino a dove puoi vedere / solo nero / e muri neri / e mulinelli / e muti tutti / ad aspettare / che la smetta / e naufragare / questo mamma non lo voglio fare / voglio l'acqua che riposa / che ti specchia / ferma / questi / muri / assurdi / d'acqua / giù a franare/ e 'sto rumore /
rivoglio l'acqua che sapevi tu
rivoglio il mare
silenzio
luce
e pesci volanti
sopra
a volare.

Primo viaggio, prima burrasca. Sfiga. Neanche avevo ben capito com'era il giro, che mi becca una delle burrasche più micidiali nella storia del *Virginian*. In piena notte, gli son girati i coglioni e via, ha dato il giro al tavolo. L'Oceano. Sembrava che non finisse più. Uno che su una nave suona la tromba, non è che quando arriva la burrasca possa fare un granché. Può giusto evitare di suonare la tromba, tanto per non complicare le cose. E starsene buono, nella sua cuccetta. Però io non ci resistevo là dentro. Hai un bel distrarti, ma puoi giurarci prima o poi ti arriva dritta nel cervello quella frase: ha fatto la fine del topo. Io non la volevo fare la fine del topo, e quindi me ne andai fuori da quella cabina e mi misi a vagare. Mica sapevo dove andare, c'ero da quattro giorni, su quella nave, era già qualcosa se trovavo la strada per i gabinetti. Sono piccole città galleggianti, quelle. Davvero. Insomma, è chiaro, sbattendo da tutte le parti e prendendo corridoi a casaccio, come veniva, alla fine mi persi. Era fatta. Definitivamente fottuto. Fu a quel punto che arrivò uno, tutto vestito elegante, in scuro, camminava tranquillo, mica con l'aria di essersi perso, sembrava non sentire nemmeno le onde, come se passeggiasse sul lungomare di Nizza: ed era Novecento.

Aveva ventisette anni, allora, ma sembravano di più. Io lo conoscevo appena: c'avevo suonato insieme in quei quattro giorni, con la band, ma nient'altro. Non sapevo neanche dove stesse di cabina. Certo gli altri qualcosa mi avevano raccontato di lui. Dicevano una cosa strana: dicevano: Novecento non è mai sceso da qui. È nato su questa nave, e da allora c'è rimasto. Sempre. Ventisette anni, senza mai mettere piede a terra. Detta così, c'aveva tutta l'aria di essere una palla colossale... Dicevano anche che suonava una musica che non esisteva. Quel che sapevo io era che tutte le volte, prima di iniziare a suonare, lì, in sala da ballo, Fritz Hermann, un bianco che non capiva niente di musica ma aveva una bella faccia per cui dirigeva la band, gli si avvicinava e gli diceva sottovoce:

"Per favore, Novecento, solo le note normali, okay?".

Novecento faceva sì con la testa e poi suonava le note normali, guardando fisso davanti a sé, mai un'occhiata alle mani, sembrava stesse tutto da un'altra parte. Adesso so che ci stava, in effetti, tutto da un'altra parte. Ma allora non lo sapevo: pensavo che era un po' strano, tutto lì.

Quella notte, nel bel mezzo della burrasca, con quell'aria da signore in vacanza, mi trovò là, perso in un corridoio qualunque, con la faccia di un morto, mi guardò, sorrise, e mi disse: "Vieni".

Ora, se uno che su una nave suona la tromba incontra nel bel mezzo di una burrasca uno che gli dice "Vieni", quello che suona la tromba può fare una sola cosa: andare. Gli andai dietro. Camminava, lui. Io... era un po' diverso, non avevo quella compostezza, ma comunque... arrivammo nella sala da ballo, e poi rimbalzando di qua e di là, io ovviamente, perché lui sembrava avesse i binari sotto i piedi, arrivammo vicino al pianoforte. Non c'era nessuno in giro. Quasi buio, solo qualche lucina, qua e là. Novecento mi indicò le zampe del pianoforte.

"Togli i fermi," disse. La nave ballava che era un piacere, facevi fatica a stare in piedi, era una cosa senza senso sbloccare quelle rotelle.

"Se ti fidi di me, toglili."

Questo è matto, pensai. E li tolsi.

"E adesso vieni a sederti qua," mi disse allora Novecento.

Non lo capivo dove voleva arrivare, proprio non lo capivo. Stavo lì a tenere fermo quel pianoforte che incominciava a scivolare come un enorme sapone nero... Era una situazione di merda, giuro, dentro alla burrasca fino al collo e in più quel matto, seduto sul suo seggiolino – un altro bel sapone – e le mani sulla tastiera, ferme.

"Se non sali adesso, non sali più," disse il matto sorridendo. (*Sale su un marchingegno, una cosa a metà tra un'altalena e un trapezio*) "Okay. Mandiamo tutto in merda, okay? tanto cosa c'è da perdere, ci salgo, d'accordo, ecco, sul tuo stupido seggiolino, ci son salito, e adesso?"

"E adesso, non aver paura."

E si mise a suonare.

(Parte una musica per piano solo. È una specie di danza, valzer, mite e dolce. Il marchingegno incomincia a dondolare e a portare l'attore in giro per la scena. Man mano che l'attore va avanti a raccontare, il movimento si fa più ampio, fino a sfiorare le quinte)

Ora, nessuno è costretto a crederlo, e io, a essere precisi, non ci crederei mai se me lo raccontassero, ma la verità dei fatti è che quel pianoforte incominciò a scivolare, sul legno della sala da ballo, e noi dietro a lui, con Novecento che suonava, e non staccava lo sguardo dai tasti, sembrava altrove, e il piano seguiva le onde e andava e tornava, e si girava su se stesso, puntava diritto verso la vetrata, e quando era arrivato a un pelo si fermava e scivolava dolcemente indietro, dico, sembrava che il mare lo cullasse, e cullasse noi, e io non ci capivo un accidente, e Novecento suonava, non smetteva un attimo, ed era chiaro, non *suonava* semplicemente, lui lo *guidava*, quel pianoforte, capito?, coi tasti, con le note, non so, lui lo guidava dove voleva, era assurdo ma era così. E mentre volteggiavamo tra i tavoli, sfiorando lampadari e poltrone, io capii che in quel momento, quel che stavamo facendo, quel che *davvero* stavamo facendo, era danzare con l'Oceano, noi e lui, ballerini pazzi, e perfetti, stretti in un torbido valzer, sul dorato parquet della notte. Oh yes.

(Inizia a volteggiare alla grande per il palcoscenico, sul suo marchingegno, con un'aria felice, mentre l'Oceano impazza, la nave balla, e la musica del piano detta una specie di valzer che con diversi effetti sonori accelera, frena, gira, insomma "guida" il grande ballo. Poi, dopo l'ennesima acrobazia, sbaglia una manovra e finisce di slancio dietro le quinte. La musica cerca di "frenare", ma è troppo tardi. L'attore ha giusto il tempo di gridare

"Oh cristo..."

ed esce da una quinta laterale, schiantandosi contro qualcosa. Si sente un gran fracasso, come se fosse finito a distruggere una vetrata, il tavolo di un bar, un salotto, qualcosa. Un gran casino. Attimo di pausa e di silenzio. Poi dalla stessa quinta da cui è uscito, l'attore rientra, lentamente)

Novecento disse che doveva ancora perfezionarlo, quel trucco. Io dissi che in fondo si trattava proprio solo di registrare i freni. Il comandante, finita la burrasca, disse (*concitatamente e gridando*) "PORCO DI UN DEMONIO VOI DUE ADESSO FINITE IN SALA MACCHINE E CI RESTATE PERCHÉ SE NO VI UCCIDO CON QUESTE MANI, E SIA CHIARO CHE PAGHERETE TUTTO, FINO ALL'ULTIMO CENTESIMO, DOVESTE LAVORARE TUTTA LA VITA, COM'È VERO CHE QUESTA NAVE SI CHIAMA *VIRGINIAN* E VOI SIETE I DUE PIÙ GRANDI IMBECILLI CHE MAI ABBIANO SOLCATO L'OCEANO!".

Laggiù, in sala macchine, quella notte, Novecento e io diventammo amici. Per la pelle. E per sempre. Passammo tutto il tempo a contare quanto poteva fare in dollari tutto quello che avevamo rotto. E più il conto saliva, più ridevamo. E se io ci ripenso, mi sembra che era quella cosa lì, essere felici. O una cosa del genere.

Fu in quella notte che gli chiesi se quella storia era vera, quella di lui e la nave, insomma che ci era nato sopra e tutto il resto... se era vero che non era mai sceso da lì. E lui rispose: "Sì".

"Ma vero *veramente*?"

Lui era tutto serio.

"Vero veramente."

E io non so, però in quel momento quello che sentii dentro, per un istante, senza volerlo, e non so perché, fu un brivido: ed era un brivido di paura.

Paura.

Una volta chiesi a Novecento a cosa diavolo pensava, mentre suonava, e cosa guardava, sempre fisso davanti a sé, e insomma dove finiva, con la testa, mentre le mani gli andavano avanti e indietro sui tasti. E lui mi disse: "Oggi son finito in un paese bellissimo, le donne avevano i capelli profumati, c'era luce dappertutto ed era pieno di tigri".

Viaggiava, lui.

E ogni volta finiva in un posto diverso: nel centro di Londra, su un treno in mezzo alla campagna, su una montagna così alta che la neve ti arrivava alla pancia, nella chiesa più grande del mondo, a contare le colonne e guardare in faccia i crocefissi. Viaggiava. Era difficile capire cosa mai potesse saperne lui di chiese, e di neve, e di tigri e... voglio dire, non c'era mai sceso, da quella nave, proprio mai, non era una palla, era tutto vero. Mai sceso. Eppure, era come se le avesse viste, tutte quelle cose. Novecento era uno che se tu gli dicevi "Una volta son stato a Parigi", lui ti chiedeva se avevi visto i giardini tal dei tali, e se avevi mangiato in quel dato posto, sapeva tutto, ti diceva "Quello che a me piace, laggiù, è aspettare il tramonto andando avanti e indietro sul Pont Neuf, e quando passano le chiatte, fermarmi e guardarle da sopra, e salutare con la mano".

"Novecento, ci sei mai stato a Parigi, tu?"

"No."

"E allora..."

"Cioè... sì."

"Sì cosa?"

"Parigi."

Potevi pensare che era matto. Ma non era così semplice. Quando uno ti racconta con assoluta esattezza che odore c'è in Bertham Street, d'estate, quando ha appena smesso di piovere, non puoi pensare che è matto per la sola stupida ragione che in Bertham Street, lui, non c'è mai stato. Negli occhi di qualcuno, nelle parole di qualcuno, lui, quell'aria, l'aveva respirata davvero. A modo suo: ma davvero. Il mondo, magari, non l'aveva visto mai. Ma erano ventisette anni che il mondo passava su quella nave: ed erano ventisette anni che lui, su quella nave, lo spiava. E gli rubava l'anima.

In questo era un genio, niente da dire. Sapeva ascoltare. E sapeva leggere. Non i libri, quelli son buoni tutti, sapeva leggere la gente. I segni che la gente si porta addosso: posti, rumori, odori, la loro terra, la loro storia... Tutta scritta, addosso. Lui leggeva, e con cura infinita, catalogava, sistemava, ordinava... Ogni giorno aggiungeva un piccolo pezzo a quella immensa mappa che stava disegnandosi nella testa, immensa, la mappa del mondo, del mondo intero, da un capo all'altro, città enormi e angoli di bar, lunghi fiumi, pozzanghere, aerei, leoni, una mappa meravigliosa. Ci viaggiava sopra da dio, poi, mentre le dita gli scivolavano sui tasti, accarezzando le curve di un ragtime.

(Parte in audio un ragtime malinconico)

Ci vollero degli anni, ma alla fine, un giorno, presi il coraggio a quattro mani e glielo chiesi. Novecento, perché cristo non scendi, una volta, anche solo una volta, perché non lo vai a vedere, il mondo, con gli occhi tuoi, proprio i tuoi. Perché te ne stai su questa galera viaggiante, tu potresti startene sul tuo Pont Neuf a guardare le chiatte e tutto il resto, tu potresti fare quello che vuoi, suoni il pianoforte da dio, impazzirebbero per te, ti faresti un sacco di soldi, e potresti sceglierti la casa più bella che c'è, puoi anche fartela a forma di nave, che ti frega?, ma te la metteresti dove vuoi, in mezzo alle tigri, magari, o in Bertham Street... diosanto non potrai continuare tutta la vita ad andare avanti e indietro come uno scemo... tu non sei scemo, tu sei grande, e il mondo è lì, c'è solo quella fottuta scaletta da scendere, cosa sarà mai, qualche stupido gradino, cristo, c'è tutto, alla fine di quei gradini, tutto. Perché non la fai finita e te ne scendi da qui, una volta almeno, una sola volta.

Novecento... Perché non scendi?
Perché?

Perché?

Fu d'estate, nell'estate del 1931, che sul *Virginian* salì Jelly Roll Morton. Tutto vestito di bianco, anche il cappello. E un diamante così al dito.

Lui era uno che quando faceva i concerti scriveva sui manifesti: stasera Jelly Roll Morton, l'inventore del jazz. Non lo scriveva così per dire: ne era convinto: l'inventore del jazz. Suonava il pianoforte. Sempre un po' seduto di tre quarti, e con due mani che erano farfalle. Leggerissime. Aveva iniziato nei bordelli, a New Orleans, e l'aveva imparato lì a sfiorare i tasti e accarezzare note: facevano l'amore, al piano di sopra, e non volevano baccano. Volevano una musica che scivolasse dietro le tende e sotto i letti, senza disturbare. Lui faceva quella musica lì. E in quello, veramente, era il migliore.

Qualcuno, da qualche parte, un giorno, gli disse di Novecento. Dovettero dirgli una cosa tipo: quello è il più grande. Il più grande pianista del mondo. Può sembrare assurdo, ma era una cosa che poteva succedere. Non aveva mai suonato una sola nota fuori dal *Virginian*, Novecento, eppure era un personaggio a suo modo celebre, ai tempi, una piccola leggenda. Quelli che scendevano dalla nave raccontavano di una musica strana e di un pianista che sembrava avesse quattro mani, tante note faceva. Giravano storie curiose, anche vere, alle volte, come quella del senatore americano Wilson che si era fatto il viaggio tutto in terza classe, perché era lì che Novecento suonava, quando non suonava le note normali, ma quelle sue, che normali non erano. C'aveva un pianoforte, là sotto, e ci andava di pomeriggio, o la notte tardi. Prima ascoltava: voleva che la gente gli cantasse le canzoni che sapeva, ogni tanto qualcuno tirava fuori una chitarra, o un'armonica, qualcosa, e iniziava a suonare, musiche che venivano da chissà dove... Novecento ascoltava. Poi incominciava a sfiorare i tasti, mentre quelli cantavano o suonavano, sfiorava i tasti e a poco a poco quello diventava un suonare vero e proprio, uscivano dei suoni dal pianoforte – verticale, nero – ed erano suoni dell'altro mondo. C'era dentro tutto: tutte in una volta, tutte le musiche della terra. C'era da rimanere di stucco. E rimase di stucco, il senatore Wilson, a sentire quella roba, e a parte quella storia della terza classe, lui, tutto elegante, in mezzo a quella puzza, perché era puzza vera e propria, a parte quella storia, lo dovettero portare giù di forza, all'arrivo, perché se era per lui sarebbe rimasto là sopra, a sentire Novecento per tutto il resto dei fottuti anni che gli restavano da vivere. Davvero. Lo scrissero sui giornali, ma era vero sul serio. Era proprio andata così.

Insomma, qualcuno andò da Jelly Roll Morton e gli disse: su quella nave c'è uno che col pianoforte fa quel che vuole. E quando ha voglia suona il jazz, ma quando non ha voglia suona qualcosa che è come dieci jazz messi insieme. Jelly Roll Morton aveva un caratterino, lo sapevano tutti. Disse: "Come fa a suonare bene uno che non ha nemmeno le palle per scendere da una stupida nave?". E giù a ridere, come un matto, lui, l'inventore del jazz. Poteva finire lì, solo che uno a quel punto disse: "Fai bene a ridere perché se solo quello si decide a scendere tu ritorni a suonare nei bordelli, com'è vero Iddio, nei bordelli". Jelly Roll smise di ridere, tirò fuori dalla tasca una piccola pistola col calcio di madreperla, la puntò alla testa del tizio che aveva parlato e non sparò: però disse: "Dov'è 'sto cazzo di nave?".

Quel che aveva in mente era un duello. Si usava, allora. Si sfidavano a colpi di pezzi di bravura e alla fine uno vinceva. Cose da musicisti. Niente sangue, ma un bel po' di odio, di odio vero, sotto la pelle. Note e alcol. Poteva anche durare una notte intera. Era quella cosa lì che aveva in mente Jelly Roll, per farla finita con 'sta storia del pianista sull'Oceano, e tutte quelle balle. Per farla finita. Il problema era che Novecento, a dire il vero, nei porti non suonava mai, non voleva suonare. Erano già un po' terra, i porti, e non gli andava. Lui suonava dove voleva lui. E dove voleva lui era in mezzo al mare, quando la terra è solo più luci lontane, o un ricordo, o una speranza. Era fatto così. Jelly Roll Morton bestemmiò mille volte, poi pagò di tasca sua il biglietto di andata e ritorno per l'Europa e salì sul *Virginian*, lui che non aveva mai messo piede su una nave che non andasse su e giù per il Mississippi. "È la cosa più idiota che io abbia mai fatto in vita mia," disse, con qualche bestemmia in mezzo, ai giornalisti che andarono a salutarlo, al molo 14 del porto di Boston. Poi si chiuse in cabina, e aspettò che la terra diventasse luci lontane, e ricordo, e speranza.

Novecento, lui, non è che si interessasse molto alla cosa. Non la capiva neanche bene. Un duello? E perché? Però era curioso. Voleva sentire come diavolo suonava l'inventore del jazz. Non lo diceva per scherzo, ci credeva: che fosse davvero l'inventore del jazz. Credo che avesse in mente di imparare qualcosa. Qualcosa di nuovo. Era fatto così, lui. Un po' come il vecchio Danny: non aveva il senso della gara, non gli fregava niente sapere chi vinceva: era il resto che lo stupiva. Tutto il resto.

Alle 21 e 37 del secondo giorno di navigazione, col *Virginian* spedito a 20 nodi sulla rotta per l'Europa, Jelly Roll Morton si presentò nella sala da ballo di prima classe, elegantissimo, in nero. Tutti sapevano benissimo cosa fare. I ballerini si fermarono, noi della band posammo gli strumenti, il barman versò un whisky, la gente ammutolì. Jelly Roll prese il whisky, si avvicinò al pianoforte e guardò negli occhi Novecento. Non disse nulla, ma quello che si sentì nell'aria fu: "Alzati da lì".

Novecento si alzò.

"Lei è quello che ha inventato il jazz, vero?"

"Già. E tu sei quello che suona solo se ha l'Oceano sotto il culo, vero?"

"Già."

Si erano presentati. Jelly Roll si accese una sigaretta, l'appoggiò in bilico sul bordo del pianoforte, si sedette, e iniziò a suonare. Ragtime. Ma sembrava una cosa mai sentita prima. Non suonava, scivolava. Era come una sottoveste di seta che scivolava via dal corpo di una donna, e lo faceva ballando. C'erano tutti i bordelli d'America, in quella musica, ma i bordelli quelli di lusso, quelli dove è bella anche la guardarobiera. Jelly Roll finì ricamando delle notine invisibili, in alto in alto, alla fine della tastiera, come una piccola cascata di perle su un pavimento di marmo. La sigaretta era sempre là, sul bordo del pianoforte: mezza consumata, ma la cenere era ancora tutta lì. Avresti detto che non aveva voluto cadere per non far rumore. Jelly Roll prese la sigaretta tra le dita, aveva mani che erano farfalle, l'ho detto, prese la sigaretta e la cenere se ne stette là, non voleva saperne di cadere, forse c'era anche un trucco, non so, certo non cadeva. Si alzò, l'inventore del jazz, si avvicinò a Novecento, gli mise la sigaretta sotto il naso, lei e tutta la sua cenere bella ordinata, e disse:

"Tocca a te, marinaio".

Novecento sorrise. Si stava divertendo. Sul serio. Si sedette al piano e fece la cosa più stupida che poteva fare. Suonò *Torna indietro paparino*, una canzone di un'idiozia infinita, una roba da bambini, l'aveva sentita da un emigrante, anni prima, e da allora non se l'era più tolta da dosso, gli piaceva, veramente, non so cosa ci trovasse ma gli piaceva, la trovava commovente da pazzi. Certo non era quello che si direbbe un pezzo di bravura. Volendo l'avrei saputa suonare perfino io. Lui la suonò giocando un po' coi bassi, raddoppiando qualcosa, aggiungendo due o tre svolazzi dei suoi, ma insomma era un'idiozia e un'idiozia rimase. Jelly Roll aveva la faccia di uno a cui avevano rubato i regali di Natale. Fulminò Novecento con due occhi da lupo e si risedette al piano. Staccò un blues che avrebbe fatto piangere anche un macchinista tedesco, sembrava che tutto il cotone di tutti i negri del mondo fosse lì e lo raccogliesse lui, con quelle note. Una cosa da lasciarci l'anima. Tutta la gente si alzò in piedi: tirava su col naso e applaudiva. Jelly Roll non fece nemmeno un accenno di inchino, niente, si vedeva che stava per averne piene le palle di tutta quella storia.

Toccava di nuovo a Novecento. Già partì male perché si sedette al piano con negli occhi due lacrimoni così, per via del blues, si era commosso, e questo si può anche capire. Il vero assurdo fu che con tutta la musica che aveva in testa e nelle mani cosa gli venne in mente di suonare? Il blues che aveva appena sentito. "Era così bello," mi disse poi, il giorno dopo, per giustificarsi, pensa te. Proprio non aveva la minima idea di cosa fosse un duello, non ne aveva la minima idea. Suonò quel blues. Per di più nella sua testa si era trasformato in una serie di accordi, lentissimi, uno dopo l'altro, in processione, una noia micidiale. Lui suonava tutto accartocciato sulla tastiera, se li godeva a uno a uno quegli accordi, anche strani, oltretutto, roba dissonante, lui se li godeva proprio. Gli altri, meno. Quando finì partì perfino qualche fischio.

Fu a quel punto che Jelly Roll Morton perse definitivamente la pazienza. Più che andare al piano, ci saltò sopra. Tra sé e sé ma in modo che tutti capissero benissimo sibilò poche parole, molto chiare.

"E allora vai a fare in culo, coglione."

Poi attaccò a suonare. Ma suonare non è la parola. Un giocoliere. Un acrobata. Tutto quello che si può fare, con una tastiera di 88 tasti, lui la fece. A una velocità mostruosa. Senza sbagliare una nota, senza muovere un muscolo della faccia. Non era nemmeno musica: erano giochi di prestigio, era magia bella e buona. Era una meraviglia, non c'erano santi. Una meraviglia. La gente diede di matto. Strillavano e applaudivano, una cosa così non l'avevano mai vista. C'era un casino che sembrava Capodanno. In quel casino, mi trovai davanti Novecento: aveva la faccia più delusa del mondo. E anche un po' stupita. Mi guardò e disse:

"Ma quello è completamente scemo...".

Non gli risposi. Non c'era niente da rispondere. Lui si piegò verso di me e mi disse:

"Dammi una sigaretta, va'...".

Ero talmente stranito che la presi e gliela diedi. Voglio dire: Novecento non fumava. Non aveva mai fumato prima. Prese la sigaretta, si girò e andò a sedersi al pianoforte. Ci misero un po', in sala, a capire che si era seduto lì, e che magari voleva suonare. Ci scapparono anche un paio di battute pesanti, e risate, qualche fischio, la gente fa così, è cattiva con quelli che perdono. Novecento aspettò paziente che ci fosse una specie di silenzio, intorno. Poi gettò un'occhiata a Jelly Roll, che se ne stava in piedi, al bar, a bere da una coppa di champagne, e disse sottovoce:

"L'hai voluto tu, pianista di merda".

Poi appoggiò la mia sigaretta sul bordo del pianoforte.
Spenta.
E iniziò.

(In audio parte un brano di un virtuosismo pazzesco, magari suonato a quattro mani. Non dura più di mezzo minuto. Finisce con una scarica di accordi fortissimi. L'attore aspetta che finisca, poi riprende)

Così.
Il pubblico si bevve tutto senza respirare. Tutto in apnea. Con gli occhi inchiodati sul piano e la bocca aperta, come dei perfetti imbecilli. Rimasero così, in silenzio, completamente tronati, anche dopo quella micidiale scarica finale di accordi che sembrava avesse cento mani, sembrava che il piano dovesse scoppiare da un momento all'altro. In quel silenzio pazzesco, Novecento si alzò, prese la mia sigaretta, si sporse un po' in avanti, oltre la tastiera, e la avvicinò alle corde del piano.
Leggero sfrigolio.
La ritirò fuori da lì, ed era accesa.
Giuro.
Bella accesa.
Novecento la teneva in mano come fosse una piccola candela. Non fumava, lui, neanche sapeva tenerla fra le dita. Fece qualche passo e arrivò davanti a Jelly Roll Morton. Gli porse la sigaretta.
"Fumala tu. Io non son buono."

Fu lì che la gente si risvegliò dall'incantesimo. Venne giù una apoteosi di grida e applausi e casino, non so, non si era mai vista una cosa del genere, tutti urlavano, tutti volevano toccare Novecento, un bordello generale, non si capiva più niente. Ma io lo vidi, lì in mezzo, Jelly Roll Morton, fumare nervosamente quella maledetta sigaretta, cercando la faccia da fare, e senza trovarla, non sapeva nemmeno bene dove guardare, a un certo punto la sua mano di farfalla si mise a tremare, tremava proprio, e io la vidi, e non lo dimenticherò mai, tremava così tanto che a un certo punto la cenere della sigaretta si staccò e cadde giù, prima sul suo bell'abito nero e poi, scivolando, fin sulla scarpa destra, scarpa di vernice nera, brillante, quella cenere come uno sbuffo bianco, lui la guardò, me la ricordo benissimo, guardò la scarpa, la vernice e la cenere, e capì, quello che c'era da capire lo capì, si girò su se stesso e camminando piano, passo dopo passo, così piano da non muovere quella cenere da lì, attraversò la grande sala e se ne sparì, con le sue scarpe di vernice nera, e su una c'era uno sbuffo bianco, e lui se lo portava via, e lì c'era scritto che qualcuno aveva vinto, e non era lui.

Jelly Roll Morton passò il resto del viaggio chiuso nella sua cabina. Arrivati a Southampton, scese dal *Virginian*. Il giorno dopo ripartì per l'America. Su un'altra nave, però. Non voleva più saperne, di Novecento e di tutto il resto. Voleva tornare e basta.

Dal ponte di terza classe, appoggiato alla murata, Novecento lo vide scendere, col suo bel vestito bianco e tutte le valigie, belle, di cuoio chiaro. E mi ricordo che disse soltanto:

"E in culo anche il jazz".

Liverpool New York Liverpool Rio de Janeiro Boston Cork Lisbona Santiago del Cile Rio de Janeiro Antille New York Liverpool Boston Liverpool Amburgo New York Amburgo New York Genova Florida Rio de Janeiro Florida New York Genova Lisbona Rio de Janeiro Liverpool Rio de Janeiro Liverpool New York Cork Cherbourg Vancouver Cherbourg Cork Boston Liverpool Rio de Janeiro New York Liverpool Santiago del Cile New York Liverpool, Oceano, proprio in mezzo. E lì, a quel punto, cadde il quadro.

A me m'ha sempre colpito questa faccenda dei quadri. Stanno su per anni, poi senza che accada nulla, ma nulla dico, *fran*, giù, cadono. Stanno lì attaccati al chiodo, nessuno gli fa niente, ma loro a un certo punto, *fran*, cadono giù, come sassi. Nel silenzio più assoluto, con tutto immobile intorno, non una mosca che vola, e loro, *fran*. Non c'è una ragione. Perché proprio in quell'istante? Non si sa. *Fran*. Cos'è che succede a un chiodo per farlo decidere che non ne può più? C'ha un anima, anche lui, poveretto? Prende delle decisioni? Ne ha discusso a lungo col quadro, erano incerti sul da farsi, ne parlavano tutte le sere, da anni, poi hanno deciso una data, un'ora, un minuto, un istante, è quello, *fran*. O lo sapevano già dall'inizio, i due, era già tutto combinato, guarda io mollo tutto fra sette anni, per me va bene, okay allora intesi per il 13 maggio, okay, verso le sei, facciamo sei meno un quarto, d'accordo, allora buona notte, 'notte. Sette anni dopo, 13 maggio, sei meno un quarto: *fran*. Non si capisce. È una di quelle cose che è meglio che non ci pensi, se no ci esci matto. Quando cade un quadro. Quando ti svegli, un mattino, e non la ami più. Quando apri il giornale e leggi è scoppiata la guerra. Quando vedi un treno e pensi io devo andarmene da qui. Quando ti guardi allo specchio e ti accorgi che sei vecchio. Quando, in mezzo all'Oceano, Novecento alzò lo sguardo dal piatto e mi disse: "A New York, fra tre giorni, io scenderò da questa nave".

Ci rimasi secco.

Fran.

A un quadro mica puoi chiedere niente. Ma a Novecento sì. Lo lasciai in pace per un po' poi cominciai a sfinirlo, volevo capire perché, una ragione doveva pur esserci, uno non sta trentadue anni su una nave e poi un giorno d'improvviso se ne scende, come se niente fosse, senza nemmeno dire il perché al suo migliore amico, senza dirgli niente.

"Devo vedere una cosa, laggiù," mi disse.

"Quale cosa?" Non voleva dirla, e si può anche capirlo perché quando alla fine la disse, quel che disse fu:

"Il mare".

"Il mare?"

"Il mare."

Pensa te. A tutto potevi pensare, ma non a quello. Non volevo crederci, sapeva di presa per il culo bell'e buona. Non volevo crederci. Era la cazzata del secolo.

"Sono trentadue anni che lo vedi, il mare, Novecento."

"Da qui. Io lo voglio vedere da là. Non è la stessa cosa."

Sant'Iddio. Mi sembrava di parlare con un bambino.

"Va be', aspetta di essere in porto, ti sporgi e lo guardi per bene. È la stessa cosa."

"Non è la stessa cosa."

"E chi te l'ha detto?"

Gliel'aveva detto uno che si chiamava Baster, Lynn Baster. Un contadino. Uno di quelli che vivono quarant'anni lavorando come muli e tutto quel che hanno visto è il loro campo e, una o due volte, la città grande, qualche miglio più in là, il giorno della fiera. Solo che poi a lui la siccità aveva portato via tutto, la moglie se n'era andata con un predicatore di non so cosa, e i figli se li era portati via la febbre, tutt'e due. Uno con la buona stella, insomma. Così un giorno aveva preso le sue cose, e aveva fatto tutta l'Inghilterra a piedi per arrivare a Londra. Dato però che non se ne intendeva un granché, di strade, invece che arrivare a Londra era finito in un paesino da nulla, dove però se continuavi sulla strada, facevi due curve e giravi dietro a una collina, alla fine, d'improvviso, vedevi il mare. Non l'aveva mai visto prima, lui. Ne era rimasto fulminato. L'aveva salvato, a voler credere a quello che diceva. Diceva: "È come un urlo gigantesco che grida e grida, e quello che grida è: 'banda di cornuti, la vita è una cosa immensa, lo volete capire o no? Immensa'". Lui, Lynn Baster, quella cosa non l'aveva pensata mai. Proprio non gli era mai capitato di pensarla. Fu come una rivoluzione, nella sua testa.

Forse è che Novecento, anche lui... non gli era mai venuta in mente davvero quella roba, che la vita è immensa. Magari lo sospettava anche, ma nessuno gliel'aveva mai gridato in quel modo. Così se la fece raccontare mille volte, da quel Baster, la storia del mare e tutto il resto, e alla fine decise che doveva provare anche lui. Quando si mise a spiegarmi, c'aveva l'aria di uno che ti spiega come funziona il motore a scoppio: era scientifico.

"Posso rimanere anche anni, qua sopra, ma il mare non mi dirà mai nulla. Io adesso scendo, vivo sulla terra e della terra per anni, divento uno normale, poi un giorno parto, arrivo su una costa qualsiasi, alzo gli occhi e guardo il mare: è lì, io l'ascolterò gridare."

Scientifico. A me sembrava la cazzata scientifica del secolo. Potevo dirglielo, ma non glielo dissi. Non era così semplice. Il fatto è che io gli volevo bene, a Novecento, e volevo che scendesse un giorno o l'altro, da lì, e suonasse per la gente della terra, e sposasse una donna simpatica, e avesse dei figli e insomma tutte le cose della vita, che magari non è immensa, però è anche bella, se solo hai un po' di fortuna, e di voglia. Insomma, quella del mare mi sembrava una vera boiata, però se riusciva a portare Novecento giù da lì, per me andava bene. Così alla fine pensai che era meglio così. Gli dissi che il suo ragionamento non faceva una piega. E che ero contento, davvero. E che gli avrei regalato il mio cappotto di cammello, avrebbe fatto un figurone, scendendo giù dalla scaletta, col cappotto cammello. Lui era anche un po' commosso:

"Però mi verrai a trovare, no?, sulla terra...".

Dio, c'avevo un sasso qui, in gola, come un sasso, mi faceva morire se faceva così, io detesto gli addii, mi misi a ridere meglio che potevo, una cosa penosa, e dissi che certo sarei andato a trovarlo e avremmo fatto correre il suo cane per i campi, e sua moglie avrebbe cucinato il tacchino, e non so che altra stronzata, e lui rideva, e anch'io, ma dentro sapevamo tutt'e due che la verità era un'altra, la verità era che stava per finire tutto, e non c'era niente da fare, doveva succedere e adesso stava succedendo: Danny Boodmann T.D. Lemon Novecento sarebbe sceso dal *Virginian*, nel porto di New York, un giorno di febbraio. Dopo trentadue anni vissuti sul mare, sarebbe sceso a terra, per vedere il mare.

(Parte una musica tipo vecchia ballata. L'attore scompare nel buio, poi ricompare nei panni di Novecento sulla cima di una scaletta da piroscafo. Cappotto cam-

mello, cappello, una grande valigia. Sta un po' lì, nel vento, immobile, a guardare davanti a sé. Guarda New York. Poi scende il primo gradino, il secondo, il terzo. Lì la musica si interrompe di colpo e Novecento si inchioda. L'attore si toglie il cappello e si gira verso il pubblico)

Fu al terzo gradino che si fermò. Di colpo.

"Che è?, ha pestato una merda?," disse Neil O'Connor, che era un irlandese che capiva mai un cazzo, però non c'era verso di togliergli il buon umore, mai.

"Avrà dimenticato qualcosa," dissi io.

"Cosa?"

"E che ne so cosa..."

"Forse s'è dimenticato perché sta scendendo."

"Non dire fesserie."

E intanto lui là, fermo, con un piede sul secondo gradino e uno sul terzo. Se ne rimase così per un tempo eterno. Guardava davanti a sé, sembrava che cercasse qualcosa. E alla fine fece una cosa strana. Si tolse il cappello, allungò la mano oltre il mancorrente della scaletta e lo lasciò cadere giù. Sembrava un uccello stanco, o una frittata blu con le ali. Fece un paio di curve nell'aria e cadde in mare. Galleggiava. Evidentemente era un uccello, non una frittata. Quando rialzammo gli occhi verso la scaletta, vedemmo Novecento, nel suo cappotto cammello, nel *mio* cappotto cammello, che risaliva quei due gradini, con le spalle al mondo e uno strano sorriso in faccia. Due passi, e sparì dentro la nave.

"Hai visto?, è arrivato il nuovo pianista," disse Neil O'Connor.

"Dicono che sia il più grande," dissi io. E non sapevo se ero triste o felice da pazzi.

Cosa aveva visto, da quel maledetto terzo gradino, non me lo volle dire. Quel giorno e poi per i due viaggi che facemmo dopo, Novecento rimase un po' strano, parlava meno del solito, e sembrava molto occupato in qualche sua faccenda personale. Noi non facevamo domande. Lui faceva finta di niente. Si vedeva che non era proprio tutto normale, ma comunque non ci andava di chiedergli qualcosa. Andò così per qualche mese. Poi un giorno Novecento entrò nella mia cabina e lentamente ma tutto di fila, senza fermarsi, mi disse: "Grazie per il cappotto, mi andava da dio, è stato un peccato, avrei fatto un figurone, ma adesso va tutto molto meglio, è passata, non devi pensare che io sia infelice: non lo sarò mai più".

Per me, non ero nemmeno sicuro che lo fosse mai stato, infelice. Non era una di quelle persone di cui ti chiedi chissà se è felice quello. Lui era Novecento, e basta. Non ti veniva da pensare che c'entrasse qualcosa con la felicità, o col dolore. Sembrava al di là di tutto, sembrava intoccabile. Lui e la sua musica: il resto, non contava.

"Non devi pensare che io sia infelice: non lo sarò mai più." Mi lasciò secco, quella frase. Aveva la faccia di uno che non scherzava, quando la disse.

Uno che sapeva benissimo dove stava andando. E che ci sarebbe arrivato. Era come quando si sedeva al pianoforte e attaccava a suonare, non c'erano dubbi nelle sue mani, e i tasti sembravano aspettare quelle note da sempre, sembravano finiti lì per loro, e solo per loro. Sembrava che inventasse lì per lì: ma da qualche parte, nella sua testa, quelle note erano scritte da sempre.

Adesso so che quel giorno Novecento aveva deciso di sedersi davanti ai tasti bianchi e neri della sua vita e di iniziare a suonare una musica assurda e geniale, complicata ma bella, la più grande di tutte. E che su quella musica avrebbe ballato quel che rimaneva dei suoi anni. E che mai più sarebbe stato infelice.

Io, dal *Virginian*, ci scesi il 21 agosto 1933. C'ero salito sopra sei anni prima. Ma mi sembrava fosse passata una vita. Non ci scesi per un giorno o per una settimana: ci scesi per sempre. Coi documenti di sbarco, e la paga arretrata, e tutto quanto. Tutto in regola. Avevo chiuso, con l'Oceano.

Non è che non mi piacesse, quella vita. Era un modo strano di far quadrare i conti, ma funzionava. Solo, non riuscivo a pensare veramente che potesse andare avanti per sempre. Se fai il marinaio allora è diverso, il mare è il tuo posto, ci puoi stare fino a schiattare e va bene così. Ma uno che suona la tromba... Se suoni la tromba, sul mare sei uno straniero, e lo sarai sempre. Prima o poi, è giusto che torni a casa. Meglio prima, mi dissi.

"Meglio prima," dissi a Novecento. E lui capì. Si vedeva che non aveva nessuna voglia di vedermi scendere da quella scaletta, per sempre, ma dirmelo, non me lo disse mai. Ed era meglio così. L'ultima sera, stavamo lì a suonare per i soliti imbecilli della prima classe, venne il momento del mio assolo, incominciai a suonare e dopo poche note sentii il pianoforte che veniva con me, sottovoce, con dolcezza, ma suonava con me. Andammo avanti insieme, e io suonavo meglio che potevo, oddio, non ero Louis Armstrong, ma suonai proprio bene, con Novecento dietro che mi seguiva ovunque, come sapeva fare lui. Ci lasciarono andare avanti per un bel po', la mia tromba e il suo pianoforte, per l'ultima volta, lì a dirci tutte le cose che mica puoi dirti, con le parole. Intorno la gente continuava a ballare, non si era accorta di niente, non poteva accorgersene, cosa ne sapeva, continuavano a ballare, come se niente fosse. Forse qualcuno avrà giusto detto a un altro: "Guarda quello con la tromba che buffo, sarà ubriaco, o è matto. Guarda quello con la tromba: mentre suona, piange".

Come sono andate le cose, poi, dopo esser sceso da là, quella è un'altra storia. Magari mi riusciva perfino di combinare qualcosa di buono se solo non si ficcava di mezzo quella dannata guerra, pure lei. Quella è stata una cosa che ha complicato tutto, non si capiva più niente. Bisognava avere un gran cervello, per raccapezzarsi. Bisognava averci delle qualità che io non avevo. Io sapevo suonare la tromba. È sorprendente come sia inutile, suonare una tromba, quando c'hai una guerra intorno. E addosso. Che non ti molla.

Comunque, del *Virginian*, e di Novecento, non seppi più nulla, per anni. Non che me ne fossi dimenticato, ho continuato a ricordarmene sempre, mi capitava sempre di chiedermi: "Chissà cosa farebbe Novecento se fosse qui, chissà cosa direbbe, 'in culo la guerra' direbbe," ma se lo dicevo io non era la stessa cosa. Girava così male che ogni tanto chiudevo gli occhi e tornavo là sopra, in terza classe a sentire gli emigranti che cantavano l'Opera e Novecento che suonava chissà che musica, le sue mani, la sua faccia, l'Oceano intorno. Andavo di fantasia, e di ricordi, è quello che ti rimane da fare, alle volte, per salvarti, non c'è più nient'altro. Un trucco da poveri, ma funziona sempre.

Insomma, era una storia finita, quella. Che sembrava proprio finita. Poi un giorno mi arrivò una lettera, me l'aveva scritta Neil O'Connor, quell'irlandese che scherzava in continuazione. Quella volta, però, era una lettera seria. Diceva che il *Virginian* se n'era tornato a pezzi, dalla guerra, l'avevano usato come ospedale viaggiante, e alla fine era così mal ridotto che avevano deciso di buttarlo a fondo. Avevano sbarcato a Plymouth il poco equipaggio rimasto, l'avevano riempita di dinamite e prima o poi l'avrebbero portata al largo per farla finita: bum, e via. Poi c'era un poscritto: e diceva: "Ce l'hai cento dollari? Giuro che te li restituisco". E sotto, un altro poscritto: e diceva: "Novecento, lui, mica è sceso". Solo quello: "Novecento, lui, mica è sceso".

Io mi rigirai la lettera in mano per dei giorni. Poi presi il treno che andava a Plymouth, andai al porto, cercai il *Virginian*, lo trovai, diedi un po' di soldi alle guardie che stavano lì, salii sulla nave, la girai da cima a fondo, scesi alla sala macchine, mi sedetti su una cassa che aveva l'aria di essere piena di dinamite, mi tolsi il cappello, lo posai per terra, e rimasi lì, in silenzio, senza sapere cosa dire/

...Fermo lì a guardarlo, fermo lì a guardarmi/

Dinamite anche sotto il suo culo, dinamite dappertutto/

Danny Boodmann T.D. Lemon Novecento/

Avresti detto che lo sapeva che sarei arrivato, come sapeva sempre le note che avresti suonato e.../

Con quella faccia invecchiata, ma in un modo bello, senza stanchezza/

Niente luce, sulla nave, c'era solo quella che filtrava da fuori, chissà la notte, com'era/

Le mani bianche, la giacca ben abbottonata, le scarpe lucide/

Mica era sceso, lui/

Nella penombra, sembrava un principe/

Mica era sceso, sarebbe saltato insieme a tutto il resto, in mezzo al mare/

Gran finale, con tutti a guardare, dal molo, e da riva, il grande fuoco d'artificio, adieu, giù il sipario, fumo e fiamme, un'onda grande, alla fine/

Danny Boodmann T.D. Lemon/
Novecento/
In quella nave ingoiata dal buio, l'ultimo ricordo di lui è una voce, quasi soltanto, adagio, a parlare/
/
/
/
/
/
(L'attore si trasforma in Novecento)
/
/
/
/
Tutta quella città... non se ne vedeva la fine.../
La fine, per cortesia, si potrebbe vedere la fine?/
E il rumore/
Su quella maledettissima scaletta... era molto bello, tutto... e io ero grande con quel cappotto, facevo il mio figurone, e non avevo dubbi, era garantito che sarei sceso, non c'era problema/
Col mio cappello blu/
Primo gradino, secondo gradino, terzo gradino/
Primo gradino, secondo gradino, terzo gradino/
Primo gradino, secondo/
Non è quel che vidi che mi fermò/
È quel che *non* vidi/
Puoi capirlo, fratello?, *è quel che non vidi...* lo

cercai ma non c'era, in tutta quella sterminata città c'era tutto tranne/

C'era tutto/

Ma non c'era *una fine*. Quel che non vidi è dove finiva tutto quello. La fine del mondo/

Ora tu pensa: un pianoforte. I tasti iniziano. I tasti finiscono. Tu sai che sono 88, su questo nessuno può fregarti. Non sono infiniti, loro. *Tu*, sei infinito, e dentro quei tasti, infinita è la musica che puoi fare. Loro sono 88. *Tu* sei infinito. *Questo* a me piace. Questo lo si può vivere. Ma se tu/

Ma se io salgo su quella scaletta, e davanti a me/

Ma se io salgo su quella scaletta e davanti a me si srotola una tastiera di milioni di tasti, milioni e miliardi/

Milioni e miliardi di tasti, che non finiscono mai e questa è la vera verità, che non finiscono mai e quella tastiera è infinita/

Se quella tastiera è infinita, allora/

Su quella tastiera non c'è musica che puoi suonare. Ti sei seduto su un seggiolino sbagliato: quello è il pianoforte su cui suona Dio/

Cristo, ma le vedevi le strade?/

Anche solo le strade, ce n'era a migliaia, come fate voi laggiù a sceglierne una/

A scegliere una donna/

Una casa, una terra che sia la vostra, un paesaggio da guardare, un modo di morire/

Tutto quel mondo/

Quel mondo addosso che nemmeno sai dove finisce/

E quanto ce n'è/

Non avete mai paura, voi, di finire in mille pezzi solo a pensarla, quell'enormità, solo a pensarla? A viverla.../

Io sono nato su questa nave. E qui il mondo passava, ma a duemila persone per volta. E di desideri ce n'erano anche qui, ma non più di quelli che ci potevano stare tra una prua e una poppa. Suonavi la tua felicità, su una tastiera che non era infinita.

Io ho imparato così. La terra, quella è una nave troppo grande per me. È un viaggio troppo lungo. È una donna troppo bella. È un profumo troppo forte. È una musica che non so suonare. Perdonatemi. Ma io non scenderò. Lasciatemi tornare indietro.

Per favore/

/

/

/

/

/

Adesso cerca di capire, fratello. Cerca di capire, se puoi/

Tutto quel mondo negli occhi/

Terribile ma bello/

Troppo bello/

E la paura che mi riportava indietro/

La nave, di nuovo e per sempre/

Piccola nave/

Quel mondo negli occhi, tutte le notti, di nuovo/

Fantasmi/
Ci puoi morire se li lasci fare/
La voglia di scendere/
La paura di farlo/
Diventi matto, così/
Matto/
Qualcosa devi farlo e io l'ho fatto/
Prima l'ho immaginato/
Poi l'ho fatto/
Ogni giorno per anni/
Dodici anni/
Miliardi di momenti/
Un gesto invisibile e lentissimo./

Io, che non ero stato capace di scendere da questa nave, per salvarmi sono sceso dalla mia vita. Gradino dopo gradino. E ogni gradino era un desiderio. Per ogni passo, un desiderio a cui dicevo addio.

Non sono pazzo, fratello. Non siamo pazzi quando troviamo il sistema per salvarci. Siamo astuti come animali affamati. Non c'entra la pazzia. È genio, quello. È geometria. Perfezione. I desideri stavano strappandomi l'anima. Potevo viverli, ma non ci son riuscito.

Allora li ho *incantati*.

E a uno a uno li ho lasciati dietro di me. Geometria. Un lavoro perfetto. Tutte le donne del mondo le ho incantate suonando una notte intera per *una* donna, *una*, la pelle trasparente, le mani senza un gioiello, le gambe sottili, ondeggiava la testa al

suono della mia musica, senza un sorriso, senza pie-
gare lo sguardo, mai, una notte intera, quando si alzò non fu lei che uscì dalla mia vita, furono tutte le
donne del mondo. Il padre che non sarò mai l'ho
incantato guardando un bambino morire, per giorni, seduto accanto a lui, senza perdere niente di
quello spettacolo tremendo bellissimo, volevo essere l'ultima cosa che guardava al mondo, quando se
ne andò, guardandomi negli occhi, non fu lui ad an-
darsene ma tutti i figli che mai ho avuto. La terra
che era la mia terra, da qualche parte nel mondo,
l'ho incantata sentendo cantare un uomo che veniva
dal nord, e tu lo ascoltavi e vedevi, vedevi la valle, i
monti intorno, il fiume che adagio scendeva, la neve
d'inverno, i lupi la notte, quando quell'uomo finì di
cantare finì la mia terra, per sempre, ovunque essa
sia. Gli amici che ho desiderato li ho incantati suonando per te e con te quella sera, nella faccia che
avevi, negli occhi, io li ho visti, tutti, miei amici
amati, quando te ne sei andato, sono venuti via con
te. Ho detto addio alla meraviglia quando ho visto
gli immani iceberg del mare del Nord crollare vinti
dal caldo, ho detto addio ai miracoli quando ho visto ridere gli uomini che la guerra aveva fatto a pezzi, ho detto addio alla rabbia quando ho visto riem
pire questa nave di dinamite, ho detto addio alla
musica, alla mia musica, il giorno che sono riuscito
a suonarla tutta in una sola nota di un istante, e ho
detto addio alla gioia, incantandola, quando ti ho
visto entrare qui. Non è pazzia, fratello. Geometria.

È un lavoro di cesello. Ho disarmato l'infelicità. Ho sfilato via la mia vita dai miei desideri. Se tu potessi risalire il mio cammino, li troveresti uno dopo l'altro, incantati, immobili, fermati lì per sempre a segnare la rotta di questo viaggio strano che a nessuno mai ho raccontato se non a te/

/

/

(Novecento si allontana verso le quinte)

/

/

/

(Si ferma, si volta)

Già me la vedo la scena, arrivato lassù, quello che cerca il mio nome nella lista e non lo trova.

"Come ha detto che si chiama?"

"Novecento."

"Nosjinskij, Notarbartolo, Novalis, Nozza..."

"È che son nato su una nave."

"Prego?"

"Son nato su una nave e ci sono anche morto, non so se risulta lì sopra..."

"Naufragio?"

"No. Esploso. Sei quintali e mezzo di dinamite. Bum."

"Ah. Tutto bene adesso?"

"Sì, sì, benissimo... cioè... c'è solo 'sta faccenda del braccio... si è perso un braccio... ma mi hanno assicurato..."

"Manca un braccio?"

"Sì. Sa, nell'esplosione..."
"Dovrebbero essercene un paio di là... qual è che le manca?"
"Il sinistro."
"Ahia."
"Sarebbe?"
"Ho paura che siano due destri, sa?"
"Due bracci destri?"
"Già. Nel caso, lei avrebbe problemi a..."
"A cosa?"
"Voglio dire, se prendesse un braccio destro..."
"Un braccio destro al posto del sinistro?"
"Sì."
"Mah... no, in linea di massima... meglio un destro che niente..."
"È quel che penso anch'io. Aspetti un attimo, glielo vado a prendere."
"Se mai ripasso fra qualche giorno, le fosse arrivato un sinistro..."
"Senta, ne ho uno bianco e uno negro..."
"No, no, tinta unita... niente contro i negri eh, è solo questione di..."
Sfiga. Tutt'un'eternità, in Paradiso, con due mani destre. (*Con voce nasale*) E adesso facciamo un bel segno di croce! (*Parte per farlo ma si blocca. Si guarda le mani*) Non sai mai quale usare. (*Esita un attimo, poi si fa un veloce segno di croce con tutte e due le mani*) Tutta un'eternità, milioni di anni, a fare la figura dello scemo. (*Si rifà il segno di croce a due mani*) Un inferno. In Paradiso. C'è niente da ridere.

(Si volta, va verso le quinte, si ferma un passo prima di uscire, si gira di nuovo verso il pubblico: gli brillano gli occhi)

Certo... sai che musica però... con quelle mani, due, destre... se solo c'è un pianoforte...

(Ridiventa serio)

È dinamite quella che hai sotto il culo, fratello. Alzati da lì e vattene. È finita. Questa volta è finita davvero.

(Esce)

FINE